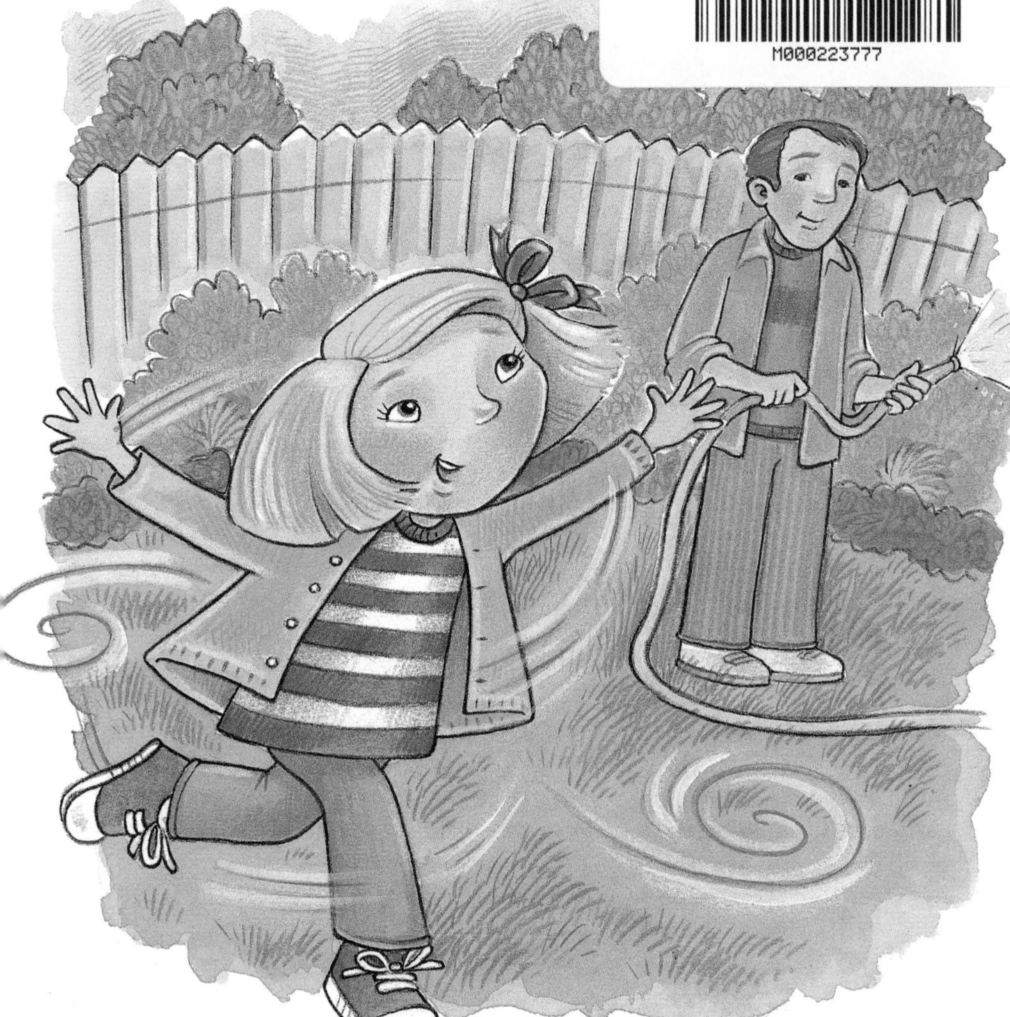

I spin and spin!

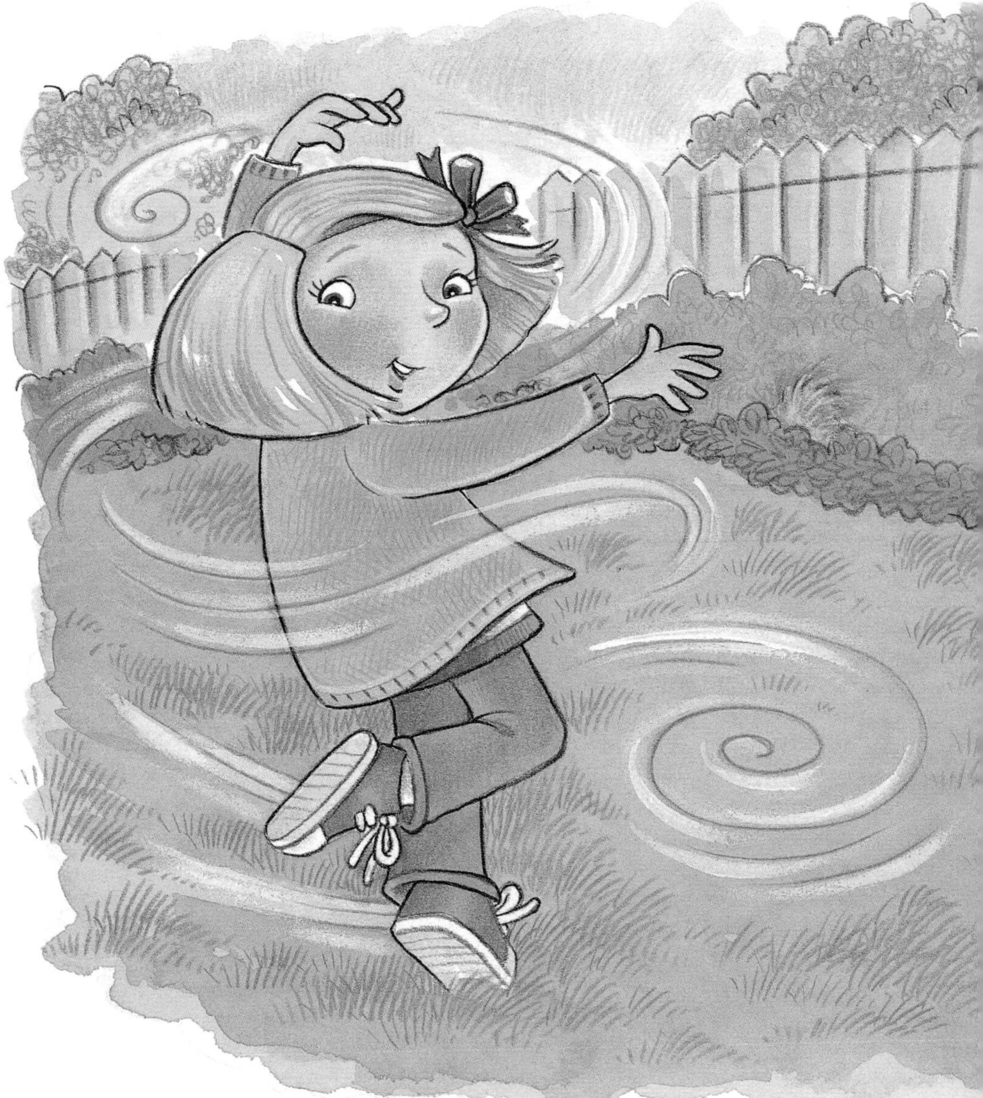

I still spin.

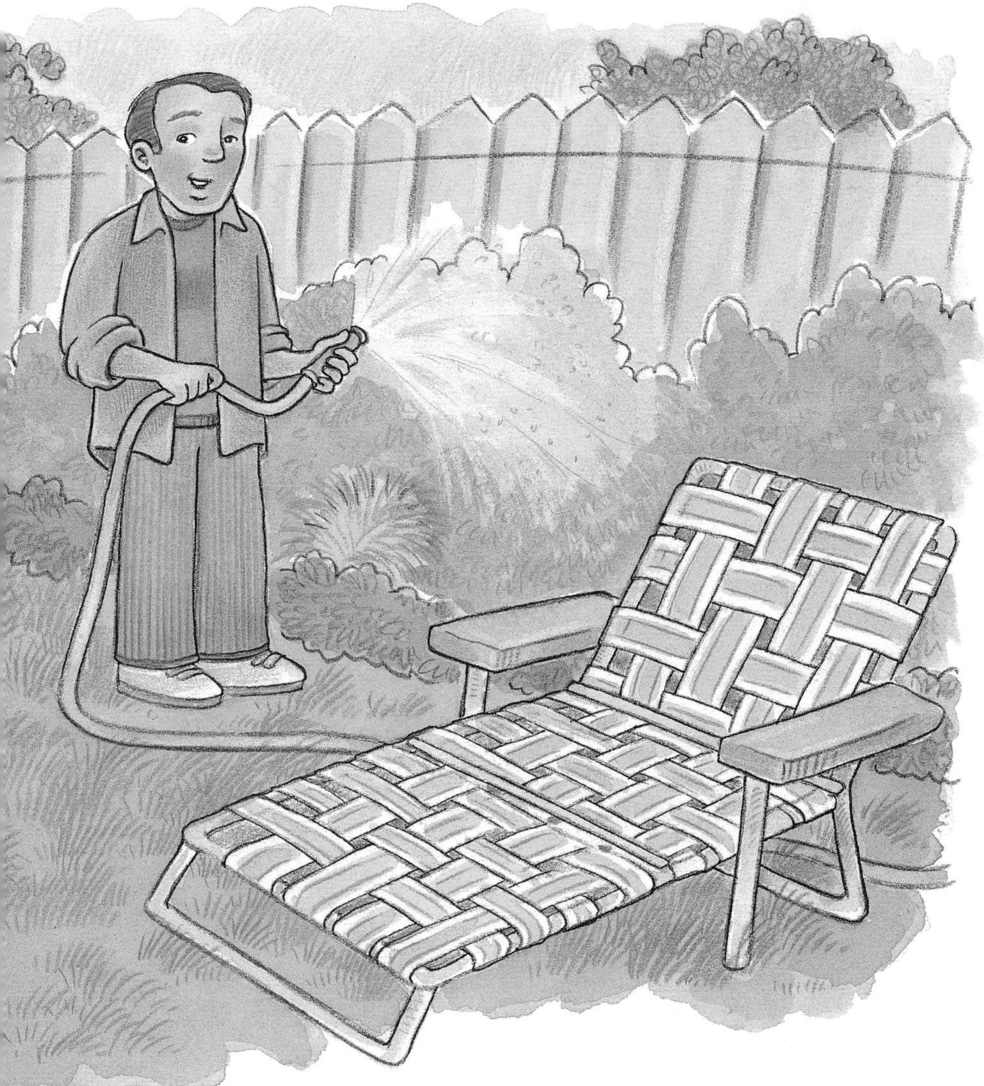

Did I sit still?

No.

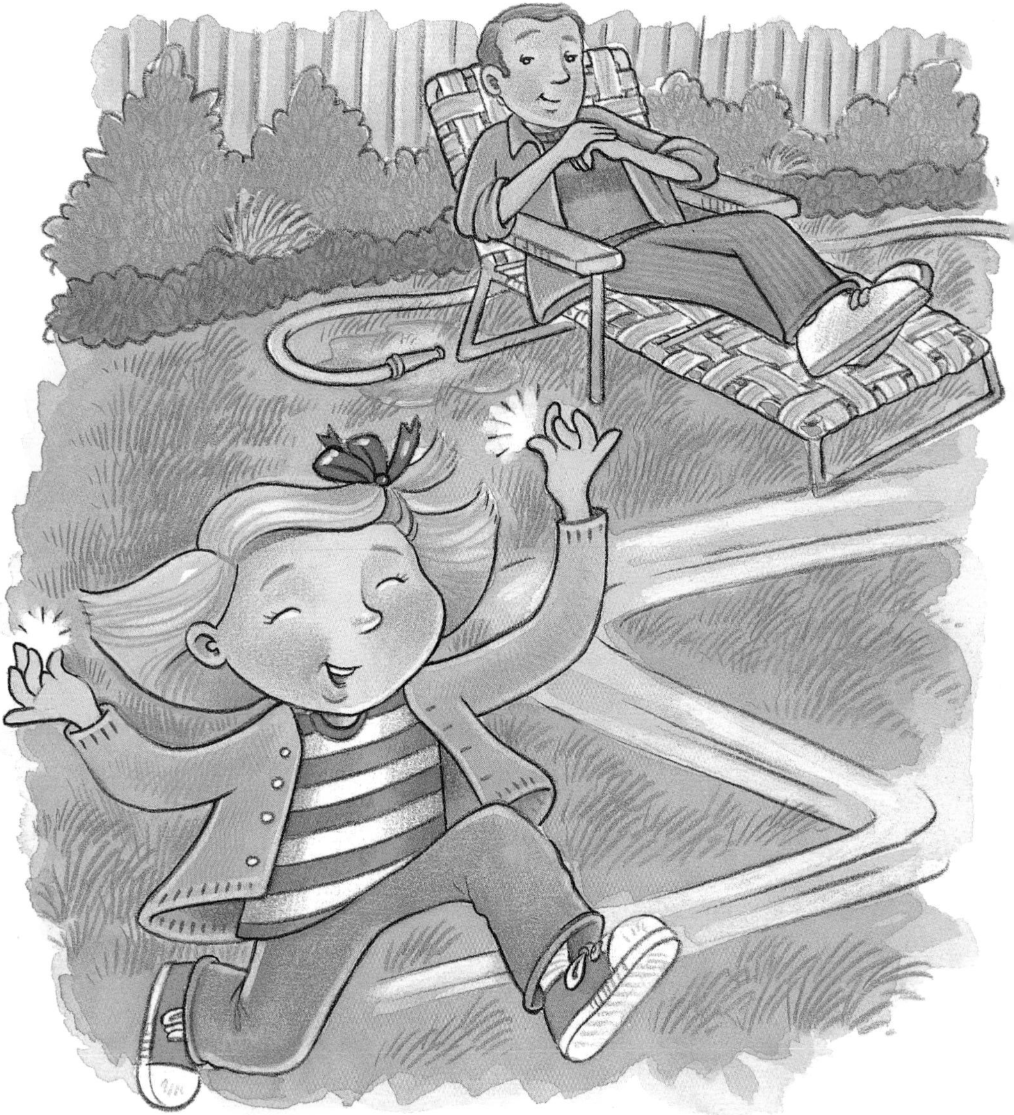

I snap and zip.

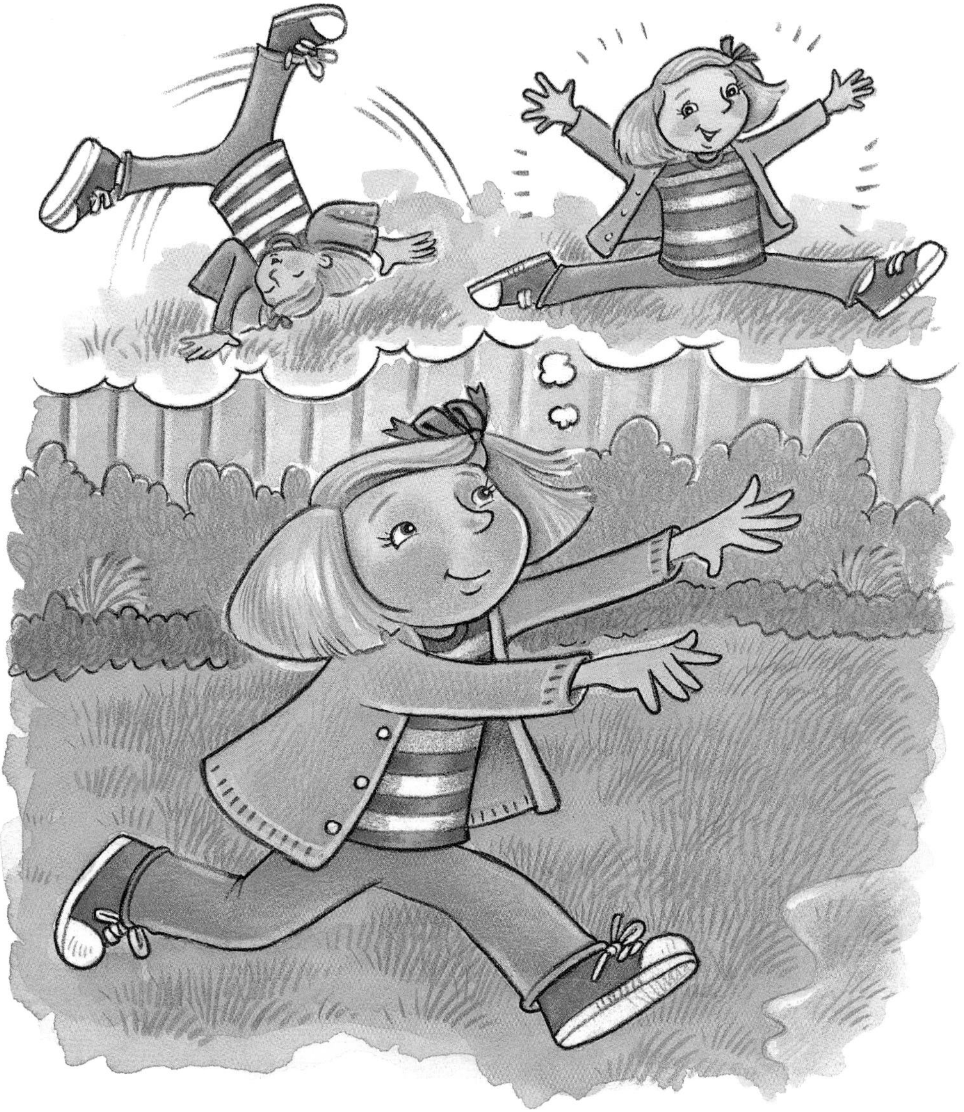

I plan splits.

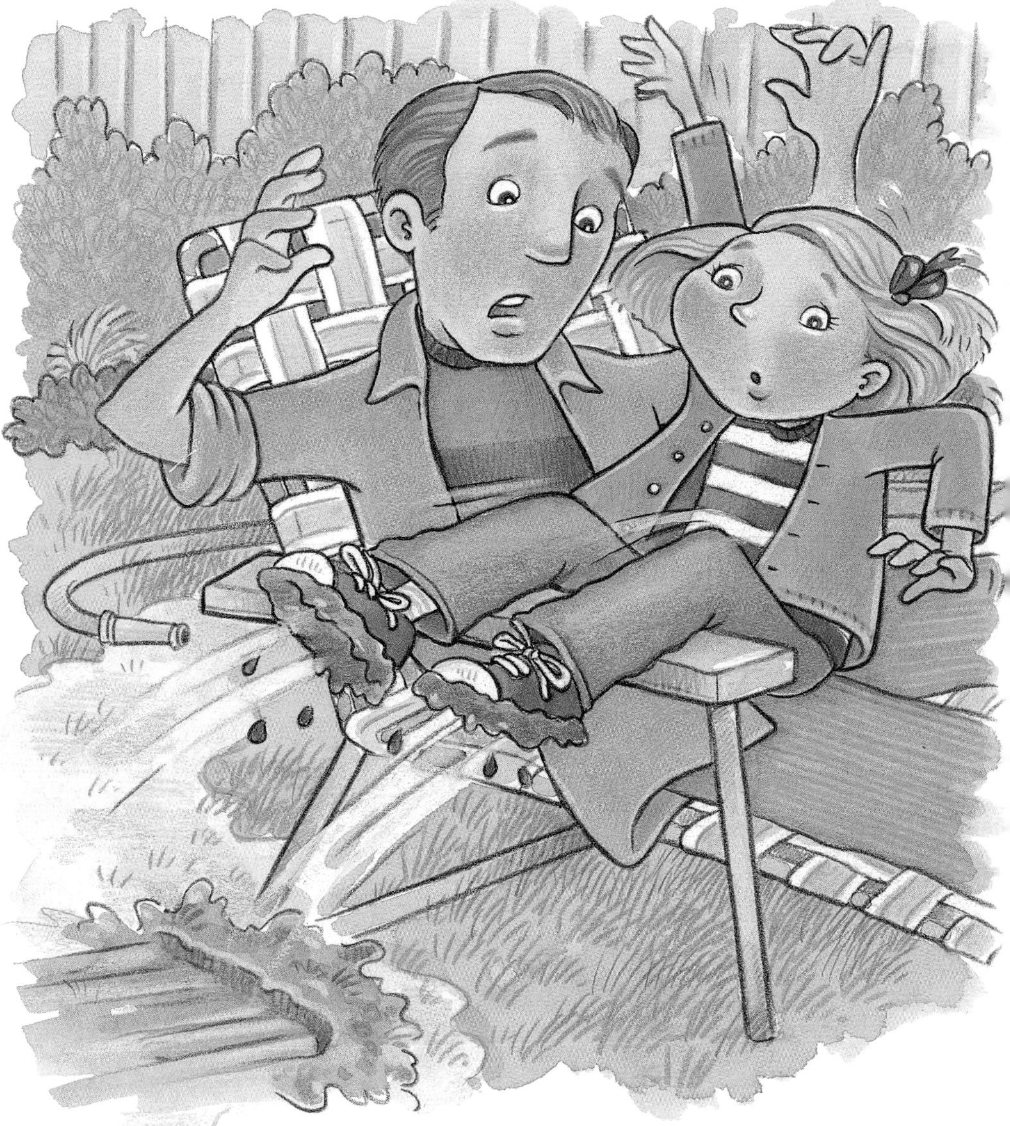

I slip and I land.

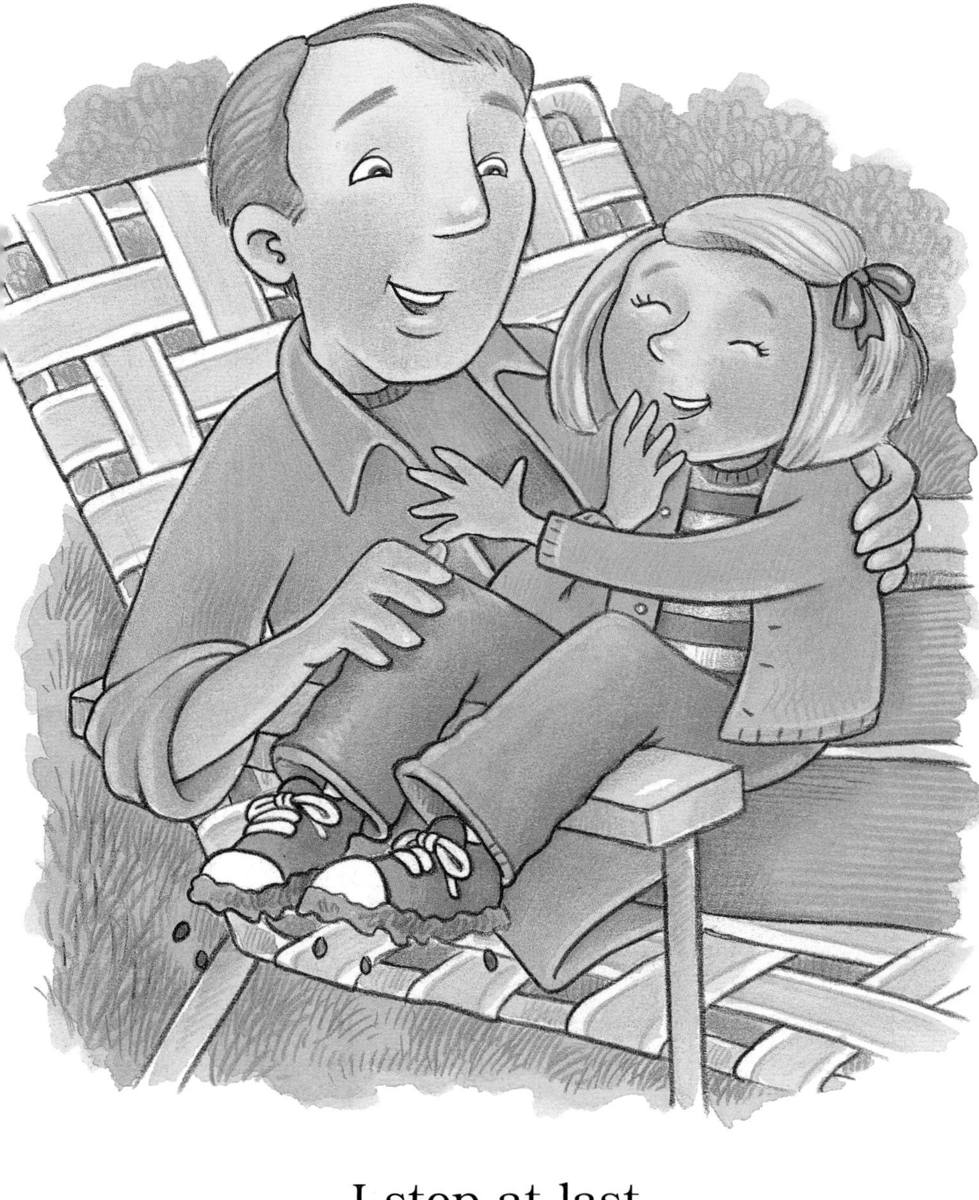

I stop at last.

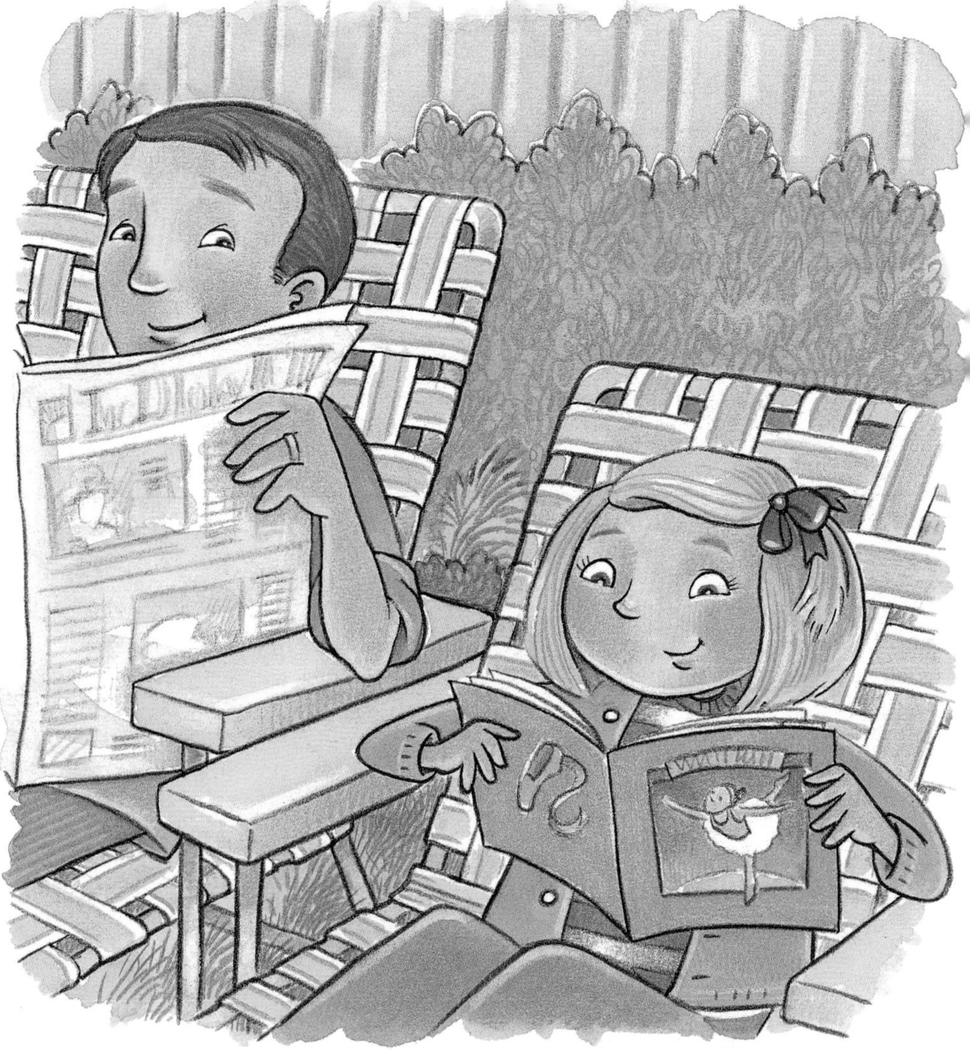

I sit still.